VASSILIKI RAPTI
TRANSITORIUM

VASSILIKI RAPTI

TRANSITORIUM

SOMERSET HALL PRESS
Boston, Massachusetts

Cover Artwork: Nancy Exarhu, exarhu.com, studioescargot.net

"De-Ontological," "Spleen," "Needles," and "Trauer-spiel" first appeared in *Levure Littéraire,* No. 10, October/November/December 2014: http://levurelitteraire.com/vassiliki-rapti/.
"Σαπφικόν" and "Transitorium" first appeared in *Poetix,* Spring/Summer 2014.
"Ο Χορευτής στο Ακρογιάλι" and "Επιθαλάμιο" first appeared in *Poeticanet,* No. 21, 2014: http://www.poeticanet.gr/index.php.

ISBN 978-1-935244-13-4

Library of Congress Cataloging-in-Publication Data

Rapti, Vassiliki.
  [Poems. Selections]
  Transitorium : poems / by Vassiliki Rapti.
     pages cm
  Chiefly in Greek with some text in English.
  ISBN 978-1-935244-13-4
  I. Title.
  PA5638.28.A48A6 2015
  889.1'4--dc 3   2015006782

ΠΕΡΙΕΧΟΜΕΝΑ / CONTENTS

Acknowledgments

Grateful acknowledgment is due to Carmen-Francesca Banciu, Dinos Siotis, and Iossif Ventura, editors of the journals *Levure Littéraire, Poetix,* and *Poeticanet,* respectively, for granting permission to include in this collection the poems that first appeared in their journals. Grateful appreciation is also felt toward the members of the Advanced Training in Greek Poetry Translation and Performance Workshop at Harvard, Peter Botteas, Athena Papachrysostomou, Andreas Triantafyllou, James N. Stone, Maria Zervos, and especially to Vladimir Boskovic, Julia Dubnoff, and Jodie Cohen-Tanugi for their detailed comments, as well as to all members of the 9th Paros International Poetry Translation Workshop, and especially to Demosthenes Agrafiotis, William Rowe, Petros Lygizos, Stephen Mooney, Angelos Sakkis, Chloe Koutsoubeli, Lily Exarhopoulou, Zafeiris Nikitas, Yuli Volanaki, Angelos Parthenis, Thanassis Photiades, Eleni Nanopoulou, Petros Georgiou, Siarita Kouka, Susan Gevirz, Iossif Ventura, and Helen Dimos, for generously offering me their comments and their translations to be included in this poetry collection. Special thanks to Nancy Exarhu, Vrasidas Karalis, Stamos Metzidakis, Dean Papademetriou, George Kalogeris, Stella Markou, Maria Koundoura, Susan Kapit-Husserl, Ivaana Muse, Kostas Rekleitis, Nicolas Sideris,

Panagiotis Bosnakis, Ioanna Lekkakou, Christina Craiutu, Elisavet Arseniou, Vinia Tsopelas, Jane Loe, Jerry McAdams, Yota Krili, Antigone Kefala, Athina Rachel Tsangari, Nanos Valaoritis, Angeliki Asprouli, and Christa Xydaki for their contributions. Special thanks also to my sisters and my family for their love and support, and above all, in loving memory of my sister Kyriakoula, Venetia Gavrielatou, and recently, my mother.

Foreword

Stamos Metzidakis

Owner of a lonely, albeit enormously generous, heart, and happily endowed with an impressive knowledge of Western as well as non-Western cultures, Vassiliki Rapti offers us here a lovely, if brief series of texts flavored to practically every taste found among serious readers of literature. In styles and forms at one and the same time old and new, classical and iconoclastic, heavy and light, she writes poems that provoke profound reflections on the infinite significance(s) of key moments in our lives, including birth and death. Through their careful application of mimesis or catharsis, the evocative and impassioned verbal constructs of her collection also provoke intermittently sweet and bitter laughter. Still others generate unchecked tears of sadness or simply deep signs of regret. In each case, however, readers are continually invited to contemplate not only the semantic aspects of the words on her pages. They are also forced to consider more carefully than usual their specific syntactical arrangement and typographical nature. To my mind, such contemporary elaborate literary contemplations, while not Hugolian in scope, are sorely needed in a post-Romantic

9

world that all too often suffers from the glib aloofness inherent in its partially self-imposed postmodern condition.

In this respect, *Transitorium* dynamically indicates many novel ways to perceive human civilization as a whole. Never content merely to enunciate truths—which some will correctly surmise aspire to a certain universality--its author goes to great lengths to span both time and space, in search of what may finally be inscribed once and for all, when all else is said and done. For, as Rapti well knows, implicitly if not also explicitly: *verba volant, scripta manent*. It can thus be said without hesitation that our author seems eager to probe all types of traditions far and wide primarily to learn what each of them might teach us about expressing our countless commonalities in lasting fashions. As a result, through her myriad mythological or cinematic allusions, sophisticated word plays, bold visual experiments on the page and suggestive phonemic manipulations, Rapti is simultaneously willing and more than able to put into service all the semiotic tools available to writers in the twenty-first century. She accomplishes this with particular flair as well as unmistakable discretion. She does so, too, in order to express the ostensibly simple fact that much of our universe has stayed (or perhaps just as importantly, will always stay) more or less the same, even while it changes. We must therefore be most grateful to Rapti. Especially if as a few highly influential philosophers warn us nowadays, cyborg-like beings threaten to vampirize our very humanity. Here's hoping they don't.

Comments

Vrasidas Karalis

Succinct, precise, measured, yet full of semantic polyvalence, Vassiliki Rapti's poems map a new emotional reality for their reader by interweaving moods, atmospheres, and sensibilities. The reader enters a universe of paradoxical emotions, which present a reality of being without the certainties of history or the illusions of belief. These are the poems of extreme sensations, on the border between language and silence, where grief and euphoria coexist and re-enforce each other.

The poet moves almost stoically through this space of emotional ruptures; she dispassionately evokes lost presences, memories, and traces of things past. Her language pulsates with luminosity and transparency. Short verses, syncopated rhythms, and echolalias all work together to recreate a phonetic universe of reverberations that transports the reader to the ultimate paradisial plenitude of language. Everything lost is liberated from oblivion through a liminal use of language: poetry recaptures the mysterious character of memory and restores the past to its experiential urgency.

The poems in this volume are experiments with the truth-making potential of poetry: they re-center

11

human existence around the ability of language, to save the phenomena, σώζειν τα φαινόμενα, as the ancient Greeks used to say. Her unique voice calls back to existence old promises of lyricism: passion, nostalgia, and sublimity. Reading these poems is like going back to the origins of the poetic language: when the things themselves had voice and desired fervently to communicate. These poems are fragments of that desire expressing through the intensity of their form and the energy of their allusions a world of sensory and symbolic correspondences, a cosmos of cinematic illuminations.

For You

Καυκαλήθρες, Ρείθρα, και Καύκαλα Χελώνας...

Η κουβαρίστρα στροβιλιζόταν
και το παραμύθι ξετυλιγόταν
έτσι ανεξίτηλα γύρω γύρω
μια φορά κι έναν καιρό.
Κι είχε πευκοβελόνες
για γραφίδες
και ηλιακτίδες για
ηλακάτη
μια φλοκάτη φλογάτη
για σκεπή
και μιαν αγάπη
γι' αστέρια.

Γύριζε γύριζε
και θάμπωνε τον αστερισμό που τη φιλοξενούσε
ώσπου μια μέρα η αγάπη εκείνη έγινε
ένα κατακόκκινο τεράστιο μπαλόνι
που αιωρούνταν στον αέρα προς άγραν εθελοντή
στο παιχνίδι της.

Wild Thyme and Tortoise Shell...

The spindle swirled
and the tale unfolded
so indelibly spinning
once upon a time.
And had pine needles
for pens
sun rays for a shaft
a warm *flokati* carpet
for roof
and love
for stars.

Whirling, whirling
it dazzled its host constellation
until one day that love became
a huge red balloon
waving in the air on the lookout for someone eager to join
the game.

Πέτρα Χαρτί Ψαλίδι!

Τυλίγω την πέτρα με το χαρτί και κερδίζω
Ψαλιδίζω το χαρτί και ψελλίζω «κερδίζω!»
Πετροβολώ το ψαλίδι και το συντρίβω.
Ποιος χάνει ποιος κερδίζει.

Όταν τα όνειρα ψαλιδίζονται
Όταν πετρώνει ο νους
Όταν χάρτινα γίνονται όλα
Μπορεί το χαρτί
Χάρτης της
Άτης να γίνει.

Rock Paper Scissors!

I wrap the rock with the paper and I win
I cut the paper with the scissors and I whisper "I win!"
I crush the scissors with stone.
Who wins and who loses.

When dreams are cut off
When the mind petrifies
When everything turns into paper
Perhaps the paper might become
A map for
Ate's sake.

Πέτρα

Πέτρινος έρωτας
πώς αλλιώς;

Πετροβολιές
Θηλειές
Στροφιλιές.

Ώσπου
Η στρόφιγγα του νου σκόνταψε πάνω στην πέτρα.

Πέτρινοι καιροί ετούτοι
Κάματος παντού
Ξερολιθιές
Πού καιρός γι' αγκαλιές!

Κάψαλα μόνο
Και δυο ψιχάλες
Σχίζουν την πέτρα.

Stone

Stone love
How else?

Stoning
Nooses
Turning points.

The mind stumbles
On the stone.

Stony times
Weariness
Stone walls
No time for embraces!

Embers only
And two drops-incisions
On the stone.

Η Χημεία των Σωμάτων και των Ψυχών

1...2...1...2...
1/2...
Εμπρός Μαρς!

Εν αρχή
Δύο σώματα δύο ψυχές
Έπειτα
Μία ψυχή δύο σώματα
Εντέλει
Δύο ψυχές μισό σώμα
Παρ' όλο που
Το παράγγελμα ακολουθήθηκε στην εντέλεια
Το άλλο μισό
Αναλώθηκε
Στην πορεία.

Μια ψυχή/Δύο σώματα,
Μετά
Δυο μισά σώματα
Αφομοιωμένα σε μία ψυχή
Τα άλλα δύο μισά
Τα καταβρόχθισε ο φόβος
Τώρα
Δυο ψυχές σ´ ένα ασώματο σώμα.

The Chemistry of Bodies and Souls

1...2...1...2...
1/2...
Forward, March!

In the beginning
two bodies two souls
Then
one soul two bodies
In the end
two souls half body
although
the order
was followed to perfection
the other half
was consumed
along the way.

One soul/two bodies
then
two halved-bodies
assimilated to a soul
the other two halves
devoured by fear
Now
two souls
are in one
incorporeal
body.

Εμπεδοκλής

To the elements it came from
Everything will return.
Our bodies to earth,
Our blood to water,
Heat to fire,
Breath to air.
-Matthew Arnold, "Empedocles on Etna"

Ο πλανόδιος

ό
ρ
μ
η
σ
ε

στις
τρομερές
φλόγες
ενός αιματηρού
ρεύματος
του Διαβόλου
καλλωπίζοντας
τις γραμμές
του Όρους
Αίτνα.

Empedocles

To the elements it came from
Everything will return.
Our bodies to earth,
Our blood to water,
Heat to fire,
Breath to air.
-Matthew Arnold, "Empedocles on Etna"

The vagabond

l
e
a
p
t

into
the
terrible
flames
of a Devil's
bloody
stream
beautifying
the lines of
Mount
Etna.

Μπρούτζινες Γλώσσες

Για την Αντιγόνη Κεφαλά

Μπρούτζινες γλώσσες
στη θέση απουσιών ή
απαθών προσώπων.
Επιπόλαια φώτα
πεισματικά φωτίζοντας
κάποιο ανιαρό υπόλειμμα
του μεγάλου Σκότους.
Πυρετώδης νύχτα
μέσα σε κάποια κύματα
μιας αρχέγονης δόνησης.
Ένα επάργυρο δάκρυ
από τις προστάτιδες κρήνες
των αλαβάστρινων αγαλμάτων
«που τα είχαν μετατρέψει
σε πήλινα κοίλα
για τους θεούς».

Brazen Tongues

For Antigone Kefala

Brazen tongues
in lieu of absences or
dejected faces.
Trivial lights
stubbornly illuminating
some lackluster dark
of the great darkness.
Feverish night
inside some waves
of primeval vibration.
A silver lacrima
out of the waters protecting
the alabaster statues
"that were transformed into
clay vessels
for gods."

Χρώματα Αυτόχθονων

Στην αρχή
το μωβ της τζακαράντα.
Μετά
το αχνό γαλάζιο της Μπλε Οροσειράς.
Κι έπειτα
το γκρίζο του κοιμητηρίου
των ανωνύμων
ανθρακωρύχων.

Ο κορυδαλλός
στήνει ακόμη ενέδρα
στη Λεύρα.

Autochthonous Colors

First
the purple of the jacarandas.
Then
the smoky blue of the mountains.
And then
the gray of the graveyard
of the unknown
miners.

The lark
still lurks
in Leura.

Μοιραίο

Μακρυά, ακόμη πιο μακρυά
Το φυτίλι ολοένα σβήνει
Θολό βλέμμα
Σβησμένη φλόγα
"Che fece ... Il gran rifiuto"
Σάμπως κανείς αίλουρος ξεφεύγει
Απ' τη φθορά;
Η στάχτη τον κουκουλώνει
Και γίνεται μούμια

Μουγκή
Μου
Μοίρα

Fatal

Far, farther still
The wick slowly burning
Cloudy stare
Extinguished flame
"Che fece ... il gran rifiuto"
As if a feline could escape decay!
Ashes cover it
Turning it into a mummy

My
Mute
Destiny

Spleen

Για την Ελένη της ταινίας
Το λιβάδι που δακρύζει
του Θόδωρου Αγγελόπουλου

Το ερυθρό νήμα
ξετυλίγει
μιαν απειλή
που επιμένει
στην ένωση
ώσπου
το νήμα
από τα σκοτεινά σπλάχνα της
ξετυλίγεται
ως το κατώφλι
του Ομφάλιου Λώρου.

ΣΠΛΑΧΝΩΝ ΜΑΡΤΥΡΙΑ

Spleen

For Eleni of
The Weeping Meadow
by Théo Angelopoulos

The red threaded spool
unfolding
a threat
uniting
till
the thread of
your deep red guts
unfolds
till
the threshold of the
Umbilical Cord.

VISCERAL TESTIMONY

As Tears Go By...

Δάκρυα
ένα με τη βροχή

ιαχή παιδική
πέρασα και 'γω από 'κει

....

θαρρείς
σαν κλάμα

για τα μελλούμενα
που θα γνώριζες μετά

και για τα τωρινά
και τα παλιά

μιας άλλης
γενιάς

της γενιάς της πυρκαγιάς και του ξύλινου ξίφους
του ξινού ύφους μιας μέρας και της ασάφειας
Το τραγούδι κλαίει ακόμα .... Εσύ που τα ζύγιαζες όλα

As Tears Go By...

Tears
one with the rain

a child's echoing
I have also passed by there

....

methinks
a sob

for the future things
you will know but
only afterwards

and for the current
and the old ones

of another
generation

of the generation of fire and the wooden sword
of the sour taste of a day's ambiguity
The song cries still ... You who would weigh every single thing

Τι .... Λοιπόν;

Homage to Dionysios Solomos

Ο λογισμός
«όμορφος κόσμος ηθικός αγγελικά πλασμένος»
γκρεμίζει
το τείχος
του γκρι
που
φτιάχνουν
οι κόρες
των ματιών
σου.

Οι αποχρώσεις
της
απορίας σου
«Ε και;
Τι τότε λοιπόν;»
ηττώνται
κατακρημνίζονται.

What .... Then?

Homage to Dionysios Solomos

The syllogism
"World, beautiful and moral, angel-made"
knocks down
the wall
of gray
the pupils
of your eyes
form.

The nuances of
your query
"So what?
What then
At long last?"
are defeated
demolished.

Γ...ι...α...τ...ί...;

Ανάσκελα στην πλάτη σου κοίταζα
κατάματα τον ήλιο.
Τυφλώθηκα.

Τόσο φως
Είναι επικίνδυνο
Μου είχες πει.

Μα βλέπω
Μέσα του!

Μπρούμυτα

Μουγκρίζω

Μόνη

Τώρα

Στα τυφλά

Γιατί;;

W...h...y...?

Sitting on your back once
I faced directly at the sun.
I was in a daze.

So much light
is dangerous
you told me.

But I see
Through it!

Prone

Blindfold

Now

I sob

Lonely

Why???????????????????????????

Trauerspiel

Για την Μ.Κ.

Πρώτα
Ενδοβολή
Άρνηση του χωρισμού
Ένα ζόμπι μέσα σου
Ξάφνου
Ενσωμάτωση
Ένα λαμπερό πτώμα
Διαχέει όλο το φως του πάνω σου ασταμάτητα
Ωσπου να χαθείς σ' ένα ωκεάνιο αίσθημα ευτυχίας.

Στο πρωινό μου παιχνίδι αντιστρέφω τον θρήνο

Για Σε.

Trauerspiel (Mourning Play)

For M.K.

First
Introjection
Denial of separation
A zombie within you
Then
Embodiment
A vibrant corpse
illuminates you
forever
Till lost in the oceanic feeling of bliss.

My mo(U)rning play

For You.

Λεύκα

Για τη Λεύκα που εκοιμήθη

Αίνιγμα	άγγιγμα	διάνυσμα
Άνοιγμα	αναίμακτο	ψέμα
Άπλωμα	ακραίο	άκυρο

Αν
Ποτέ κάποτε κάπου αλλού κάπως
Μοιραία βωλοδέρνεις στον μαύρο εβένινο άνεμο
Μη φοβηθείς σαν τους δερβίσηδες
Να στροβιλιστείς
Η δίνη του θανάτου -ξέρεις- αποζημιώνει.

Μη ζητάς μη μιλάς μη ρωτάς μη μαραζώνεις
Ατένισε
Το λευκό σάββανο
Και κοιμήσου
Λεύκα λευκή.

Poplar Tree

For Lefka who fell asleep

Enigma	touching	passage
Opening	bloodless	lie
Expansion	excess	void

If
Ever, sometime, somewhere, someplace else, somehow
Inevitably you suffer, wandering aimlessly
In the ebony-black wind
Don't be afraid to whirl like a Dervish
Death's vortex—you know—settles the score.

Don't demand, don't talk, don't ask, don't waste away
Fix your gaze
On the pale shroud
And sleep
Pale poplar tree.

Τα Ουρλιαχτά της Ιπποκάμπης

Της Κυριακής-Αυγής

Τα υφαντά της
Αφημένα στο περβάζι
Την ύστατη ώρα
Να αγκαλιάσουν το απαλό της δέρμα
Πριν το μεγάλο ταξίδι.

Σαν έτοιμα από καιρό
Κείτονταν
Εκεί
Όπου
Ενθάδε
Κείται
Τώρα η Ιπποκάμπη
Κάτω από τον κάμπο
Του λειμώνος
Της λήθης.

Μόνον τα πνιχτά ουρλιαχτά της τώρα
Σφυρίζουν
Τρυπώντας
Το σάββανο
Της λησμονιάς
Της λεμονιάς.

Hippokampe's Howling

For Kyriaki-Avgi

Her weavings
Laid on the windowsill
At the eleventh hour
To cover her pale skin
Before the long journey.

As if long-prepared
They laid
There
Where
Now
Hippokampe
Lies
Beneath the plain
Meadow
Of oblivion.

Only her strangled screams now
Howl
Piercing
The bitter, lemon-scented shroud
Of oblivion.

Καρδιακές Εγκαταστάσεις

Της Αγγελικής

Προσεκτικά
Τις τοποθέτησαν
Τις καρδιές
Δίπλα δίπλα
Η μια μικρή
Η άλλη μεγάλη
Η μια κατακόκκινη
Η άλλη ασυνήθιστα ωχρή
Η μια πολυποίκιλα νευρώδης
Η άλλη υπέρ το δέον φλεβώδης
Θα επεχειρείτο η μεγάλη επέμβασις
Αμοιβαία μετάγγισις
Μέγα ρίσκο
Προκρούστειο
Εγκυμονείτο.

Cardiac Facilities

For Angeliki

Carefully
They placed
The hearts
Abreast
A tiny one
Next to
A large one
The one red
The other unusually pale
The one multifariously wiry
The other strangely over-veined
The major operation – a mutual transfusion –
Would be attempted
A great, Procrustean
Risk was
At stake.

Τάλας

Ακτίνες-βελόνες μυριάδες
συγκλίνουν στης καρδιάς το σημείο
την περιχύνουν με φως
την οξυγονώνουν
την φουσκώνουν
την τεντώνουν
την ταλαντώνουν
την τρυπάνε
την στεγνώνουν
την θυμώνουν
την ζυμώνουν
μ' αγγελικό
και σκούρο
φως.

Needles

A myriad of rays-needles
meet at the point of the heart
they bathe it with light
they infuse it with oxygen
they fill it with breath
they string it between two extremes
they measure its resistance
they pierce it
they fill it with anger
they knead it with
a dazzling
angelic
embittered
light.

Έτσι για Λίγο Ατένισε

Μόλις ξεπρόβαλε
Το μικρό κεφάλι της Μέδουσας
Με τα πυκνά μπλεγμένα μαλλιά
Καθώς
Το άσπρο κεφάλι του αλόγου
Που περίμενε αργούσε ακόμη
Κι η σκόπιμη κόμη του πρωινού
Ξεπρόβαλε μετανιωμένη
Προδομένη από τις κάθε λογής εικασίες
Παραδομένη στις όποιες πεπαλαιωμένες ευαισθησίες
Χαμηλού κόστους και
Ταπεινής τέχνης

Ατένισε (και τις ξερίζωσε) έτσι για λίγο.

Thus She Briefly Gazed

Once
Medusa's tiny head emerged
With the thick viper hair
As
The white mane of the horse
She waited for was late and
The deliberate hair of the morning
Arose regretful
Betrayed by all sorts of speculations
Surrendered at any obsolete sensitivities
Of low cost and
Humble art

She gazed (and ripped them off) thus briefly.

Si loin si proche

Départ
Assez vu. La vision s'est rencontrée à tous les airs.
Assez eu. Rumeurs des villes, le soir, et au soleil, et toujours.
Assez connu. Les arrêts de la vie. — Ô Rumeurs et Visions!
Départ dans l'affection et le bruit neufs!
-Arthur Rimbaud

Το μέσα σου απλωμένο
στο λεπτό δίχτυ του άλλου
το βλέμμα σου διπλωμένο
στο παχύ στρώμα του κενού

Si loin si proche

Departure
Seen enough. Visions have come together everywhere.
Had enough. Sounds of cities, in the evening and in the sun,
and always.
Known enough. Life's pauses. — Oh, Sounds and Sights!
Departure into new affection and sound!
-Arthur Rimbaud

Your inner self, caught up
in the fine net of the other
your gaze folded
in the thick layer of emptiness

4 Εποχές

Ήλπιζα

Το ωραίο καλοκαίρι
θα ξεσπούσε
θα ξέβραζε
θα κατάκαιγε
τους αρμούς
των δισταγμών.

Το καστανό φθινόπωρο
θα έθαβε μαζί του
της λύπης τα οξέα
του πόνου τα λίπη
του μόχθου την ξέρα.

Το χειμωνιάτικο λευκό
θα χρωμάτιζε
τα αδιάφανα
αδηφάγα
μάτια
των ελαφρόμυαλων
μεσόκοπων
κυνηγών
του παρελθόντος.

Το πράσινο της Βικτώριας
θα άνοιγε
τα παράθυρα της ακραίας
λησμονιάς
και θα έφερνε πίσω τους τελευταίους
νοσταλγούς

4 Seasons

I hoped

The beautiful summer
would break out
wash up
burn out
the joints of
hesitation.

The brown autumn
would bury in it
the acids of sadness
the tallow of pain
the aridness of toil.

The winter white
would color
the opaque
voracious
eyes of
the petty
mid-life
hunters
of the past.

The green of Victoria
would open
the windows of
extreme forgetfulness
bringing back
the last seekers of some

των εγκαταλελειμμένων
σουραυλίων.

Ήλπιζα

Μη!
Πω!
Τε θλασμένη
Θλιμμένη/θαμμένη.

abandoned
flutes.

I hoped

If only!
Let's not!
Lest
Broken
Sa(n)d /Buried.

Οι Κολόκες του Σεφέρη

Να ψαχουλεύεις, να ζητιανεύεις, να ζουλάς τη μνήμη σου
ν' ανασύρει τη βυθισμένη στο χρόνο μορφή του,
μια μορφή σκεπασμένη με σκοτάδι.
«Επειδή έτσι έπρεπε να γίνει» είπες.
«Επειδή έτσι έμαθες να λες» είπα, κλαίγοντας.

Γράψε τώρα πάνω στην κολοκύθα τους στίχους σου
Χάραξε μια προσωπίδα μ' ένα βαθύ άνοιγμα για στόμα
Και δυο μαύρες γραμμές για ματόκλαδα.
Κι αν χρειαστεί, μη φοβηθείς να δείξεις ανυπακοή.
Μην κουραστείς να σκάψεις όλο και πιο βαθιά
Να σκαλίσεις μια γούρνα εκεί μέσα.
μόλις αδειάσεις και το τελευταίο κουκούτσι
αφού σκάψεις
και σκάψεις
οι σκέψεις σου
ν' αδειάσουν κι αυτές.

Ή μπορεί κιόλας
ο βασιλιάς
να σιμώσει επιτέλους!

The Gourds of Seferis

Fumbling, pleading, pressing the brain
to retrieve his form sunk in oblivion,
a dark-covered shade.
"Because this is how it had to be done," you said.
"Because this is what you learned to say," I said, in tears.

Carve your lyrics now on the pumpkin
Draw a mask with an open space for mouth
And two black lines for eyelids.
And, if necessary, do not be afraid to show disobedience.
Do not get tired to dig even deeper
To carve a hollow therein.
just empty the last seed
after you dig
and dig into your thoughts
till you empty them out.

Perchance
the King of Asine
may at long last approach!

Dǒng / bù dǒng

Homage to George Seferis

Τι
Ξέρεις;
Τι;
Ξέρεις
Τι;

«Τα σπίτια πεισματώνουν» είπες
«καμιά φορά μιλάνε αγριεμένα
καθώς ενθυμούνται».

Δεν θέλω να ξέρω
dǒng / bù dǒng
καμπανίζει
η κουδουνίστρα
μέσα μου.

Dǒng / bù dǒng (I know / I don't know)

Homage to George Seferis

What
Do you know?
What?
You know
What?

"The houses become stubborn," he said,
"at times they talk fiercely
when recalling memories."

I don't want to know
dǒng / bù dǒng
chimes
the rattle
inside me.

Δυο Σαλαμάνδρες

Δυο σαλαμάνδρες λιάζονταν
Στ' αλώνι παραπέρα
Έλιωναν
Δέρνονταν
Σέρνονταν
Στον συρφετό των ακτίνων.

Τόσο φως!

Γδέρνονταν
Βασανιστικά
Τελειωτικά
Ώσπου το ένα αδειανό πουκάμισο διπλώθηκε,
Έγινε ένα με το άλλο.

Τώρα δυο αδειανά πουκάμισα
Φαντάσματα του παρελθόντος.

Two Salamanders

Two salamanders
at the threshing floor
further down
sunbathed
crawled
in the rubble of
melting sunrays.

So much light!

Scratched
tortured each other
endlessly till
the first snake shirt folded,
became one with the other.

Now two empty shirts
ghosts of the past.

Ηλιοκαμένοι

Φορώντας
μόνο
ένα απέριττο
λευκό
πουκάμισο
παίζουμε
κρυφτό
στο
ποιητικό
ενδιαίτημα
μιας άγνωστης
κοιλάδας
κρίνων και ρόδων.

Ηλιοκαμένοι
από Επιθυμία
αιχμάλωτοι
της Έμπνευσης με
τα κορμιά μας
υπομονετικά
Χαραγμένα από ουλές
τεκμήρια
έλξης
δόνησης
του απροσδιόριστου
χώρου
του κρυφτού.

Sunburnt*

Wearing
only
a plain
white
shirt
we play
hide and seek
in the
choratic
dwelling
of an unknown
valley
of lilies and roses.

Sunburnt
by Desire
we are captured
by Seizures and
scars are
patiently Sculpted
on our bodies
testimonies
of a palatable
vibrant
sonorous
space
of hide and seek.

*Original poem

Δε-Οντολογικό

Για τον Βλαδίμηρο

Πουλιά που κελαηδούν Ελληνικά
Παντού
Τρυπούν
Τον πέπλο της ψευδαίσθησης
Αποκαλύπτοντας
Την αταραξία
Των πραγμάτων.

De-Ontological*

For Vladimir

Attic-chirping birds
Everywhere
Pierce
The veil of illusion
They're-vealing
The immobility
Of things.

*Original poem

Οι Τρίλιες του Φωτός

Τις τρίλιες του φωτός αγνάντευα
καθώς ξεκλείδωνα το σώμα μου
έσκυψα κοντύτερα στο φως
κι είδα το σκοτάδι

The Trills of Light

The trills of light I gazed
while unlocking my body
I leaned closer to light
and I saw the dark

[Εν]θυμάριον

Εθελοντή
ξύπνημα

στους κρημνούς των τσινόρων.

Στων πεισμωμένων συνόρων
τους άδειους λάκκους
νεροποντή.

Ζύγωμα
στο ζύγι
των ζυγωματικών
της υγρής κοιλάδας.

Ο ίσκιος της
σκιερός
σκιάζει
τις διστακτικές εστίες φωτός
της γήινης όρασης.

Εδέσματα ηδυπαθή.
Υποθήκη στο όνειρο.

[En]thymeme

A volunteer's
awakening

on the eyelashes' precipices.

On the stubborn frontiers'
vacant pits
downpour.

Under way
to the weighing
of the cheekbones
of the wet valley.

Its shade
shady
is shading
the vacillating hearths of light
of human vision.

Voluptuous dishes.
Pledge of a dream.

Ξύπνημα

Et tout à coup je reçus un violent coup de poing dans le dos, et j'entendis une voix rauque et charmante, une voix hystérique et comme enrouée par l'eau-de-vie, la voix de ma chère petite bien-aimée, qui disait: «— Allez-vous bientôt manger votre soupe, sacré bougre de marchand de nuages?»
- Charles Baudelaire, "La soupe et les nuages"

Εν αρχή
Ελληνικά
Εστίες φωτός.

Παραμύθι
Σχέδιο
Για ένα
Σύννεφο-Δίχτυ.

Δέομαι το
Φως
.
.
.
Νόημα
Αφρός
Ιαχή
....
Φτερά χρυσά.

</\/\/\/\/\/\/\>

Όμορφος κόσμος
Διάφωτο αλώνι

70

Awakening

And all of a sudden I was punched in the back, and I heard a charming, hoarse voice, a hysterical voice perhaps made hoarse by brandy, the voice of my dear little beloved who was saying: "— Are you going to eat your soup soon, dream-maker?"
- Charles Baudelaire, "La soupe et les nuages"

In the beginning,
The Greek tongue,
Hearths of light.

Fairy tale
Blueprint
For a
Net-cloud.

I beseech the
Light

.

.

.

Meaning
Foam
Clamor
....
Golden wings.

</\/\/\/\/\/\/\/\>

Beautiful world
Translit threshing floor
White undershirt

Λευκό φανελάκι
Ρεύμα
Επιθετικής αγάπης στην
Πλάτη
Όπου
Περόνες νερού
Αδηφάγες
Σκουριασμένες
Μιας Μέδουσας μυστικής
Ακραίας
Κολασμένης
Εκτινάσσονται
.
.
.

Μ α κ ρ ι α α α α α α ά ....

A draft
Of aggressive love on the
Back
Where
Hooks of water
Ravenous
Rusty
Of a secret Medusa
Extreme
Damned
Jet
.

.

.

A w a y y y y y y y y ....

Σαπφικόν

Φρστ, φρστ, φρστ!
Τα φτερά σου, λιμπελούλα
Μου κόβουν την ανάσα
Μικρή σειρήνα
Λάμια, Γιακσίνι
Σαγήνη, λαγήνι
Σεληνιάζομαι
Για σε...
Βιάζομαι
Τώρα που...

Sapphic

Frst, frst, frst!
Your wings, libelula
Take my breath away
Little siren
Lamia, Yakshini
Seductive, Jug
I am moonstruck
For you...
I am eager
Now that...

Ο Χορευτής στο Ακρογιάλι

Homage to Nikos Engonopoulos
Με αφορμή την ταινία **Attenberg** *της Αθηνάς Ραχήλ*
Τσαγκάρη

Προσθία όψις

Οι λυγμοί σου
Ρυθμός
Οι παλμοί σου
Χορός
Οι ολολυγμοί σου
Ανασασμός.
Τα δάκτυλά σου
Πλήκτρα
Τα μάτια σου
Οικτρά
Μετράνε
Τα φιλιατρά
Του χάους
Πλάι στ΄ ακρογιάλι.

Οπισθία όψις

Τα φτερά σου
Κύκνεια άσματα
Οι αγκώνες σου
Κλάσματα αγωνίας
Οι μηροί σου
Κρατήρες
Ηφαιστείου
Η αχίλλειος πτέρνα σου
Η στέρνα
Μιας στρουθοκαμήλου.

76

The Dancer at the Seashore

Homage to Nikos Engonopoulos
A propos of the film Attenberg *by Athina-Rachel*
Tsangari

Front view

Your sobbing
Rhythm
Your pulses
Dance
Your howling
Sigh.
Your fingers
Keys
Your eyes
With pity
Count
The cracks of
Chaos
At the edge of
Seashore.

Rear view

Your wings
Swan songs
Your elbows
Fractions of anguish
Your thighs
Craters of a
Volcano
Your Achilles' heel
The cistern of
An ostrich.

Της Λεμονιάς και του Αιγάγρου

Σύννεφα κρέμονταν
τσαμπιά αγριοστάφυλα.
Έκανε να τα πιάσει
μα ήταν μακριά πολύ μακριά.

Ένας αυλός ήχησε πίσω απ' τα βουνά
φέρνοντας και πάλι τη γνωστή αγωνία στο προσκεφάλι της

Μια βασανιστική μανία τελειότητας
—ας πούμε—
ένα καπρίτσιο άγριας λεμονιάς κι ενός αιγάγρου
που αγέρωχα πίνει τον αχνό του Ύψους υπό αμφισβήτηση.

On the Pretty Lemon Tree and the Wild Goat

Clouds, wild grapes, grips
to no avail…

A flute echoed far away on the mountains
bringing back that familiar longing on her pillow.

An obsessive mania for perfection
—let's say—
a whim of a wild lemon and of a wild goat
who proudly drinks in the vapor of the Sublime under doubt.

Για τις Πορτοκαλιές

Πορτοκαλιά
Ρόδινη
Ολόγιομη
Σελήνη

Τρεμάμενη
Ηλιοκαμμένη
Νεύει

Κράζει
Ραίνει με φως
Αλλοπαρμένη τον
Ύστατο
Γαλαξία της
Ηρεμίας.

On the Orange Trees

That light
Orange
Was the moon's
Around the orange trees
Radiant
Danced
Southward

Vertical
Orange reddish brownish
Windy circles

And

Carried you away
Reminding you of
Your future's peaceful hours.

Αιωνιότητα

Ονειρεύτηκα
τη τζακαράντα
να θροΐζει
το μυστικό μας τανγκό.

Ένιωσα
το μαβί άγγιγμα
της γλυκύτερης
μελωδίας.

Αιώνια αταραξία.

Eternity

Dreaming of
the jacaranda tree,
whispering
our secret tango.

Sensing
the indigo touch
of sweetest
melodies.

Eternal immobility.

Εντός του Νοός

Προσοχή στα σημάδια
Πίσω μπρος του χάρτη
του νου σου

Ανακαλούν
Δρόμους
Τρόμους
Όρμους
Όλμους
Όρκους
Ορμές
Οσμές

Προκαλούν

Αινίγματα
Μάγια
Ανάγκες
Ρωγμές
Τραύματα
Ιάματα
Εναύσματα
Σκέψης

Inside the Mind

Mind the Marks
Backwards Forwards

Retrieving
Roads
Roars
Rides
Riddles

Casting

Spells
Spires
Springs
Offspring

Ελευθερία/Λ

Ευθαλία
Λεία
Ευλαλία
Ύλη
Θέρους
Έρωτα
Ροή
Ιαματική
Άγρα

Λιλιπούτεια
Λιμπελούλα
Λύρα
Λύτρωση

Freedom/L

Flourishing
Rhetoric
Embracing
Erotic
Domes
Of
Madness

Lonely
Lunatic
Libellule
Lyre
Liberation

Άχνα

Για την Άχνα του Στρατή Χαβιαρά

Αχ να

Μη
Αχνή
αχ

Και να 'χα
Χνάρια
Αχνά
Της άχνας σου

Να ξαχνίσω
Την αχλή
Του χνώτου σου
Το χνούδι
Της γλώσσας σου
Να χαρώ
Τάχα
Κι εγώ
Το τάμα
Της εφηβείας
Των αχινών
Των ινών
Των κορμιών-ορνέων.

Ahna

For Ahna *by Stratis Haviaras*

Ah-na
hazy
Ahna

Had I had
hazy clues
fragrance
of breath
(yours)

To steam in
your exhale
to melt
in the velvet of
your tongue
to vow as an adolescent
to sea urchins
fibers of
body-vaultures.

Επιθαλάμιο

Για να δονείς τα κύματα
και ρίγη των ειρμών να υψώνονται
στα ρήματα.

Στης ειμαρμένης τη φωλιά
παγίδα στέκονται
αόρατα φιλιά που μπλέκονται
στα βήματα
των ποντοπόρων στεναγμών που στέκονται
στην κλίνη σου ανάσκελα να σε προϋπαντήσουν.

Όταν φιλάς όταν μιλάς όταν φυσάς
χίλια πουλιά πετάγονται στο φως
στήνουν χορό μεμιάς για χάρη σου
κλοιό σφιχτό για σε με τις φτερούγες
τους κοσμούν
λικνίζουν σε και ζωγραφίζουν σε
με τ' άσπρα τους κουπιά σε αρμενίζουν
σε διάφανα νερά καθάρια
στους αιθέρες.

Μη λησμονήσεις μόνο να τους πεις
το "χαίρε"
όταν και πάλι η χαραυγή σε βρει
μονή σε κλίνη δίκλινη ανέτοιμη.

Epithalamion

Waves verbs vibrations
tangled in sighs
traps enthrone a heart.

In Time's nest
invisible seafarers' embraces
circle you tightly.

When you kiss, you breathe or utter words,
thousands of birds released in joy
fly to the sky in sunlit dancing
encircling you in their whirling wings,
holding you, rocking you, waving you
through the sky's blue waters.

If it were possible for you
to bid them an easy "goodbye"
when dawn breaks
and you sleep alone
in a bed for two
not yet ready.

Transitorium

In Memoriam, March 22, 2014

In transit	*In situ*
in situ	in fact
perennial	in truth
sanctions	*in memoriam*
de facto	in reality
lost	*veritas?*
in transit	in Amistad
transitions	νύσταξα
instants	απόσταγμα
rubble	ennui
ϱωγμές	sweet
νοός	voices
trajectories	beyond
memoirs	the clouds
μνημόσυνα	far, far from afar
Μνημοσύνη	in Pontus
against Lethe	Prometheus'
Αλήθεια;	eagle's
χάνομαι	beak
στις βολές	taps
μοϱίων	on
τϱέλλας	the
	heart

Transitorium

(by Stephen Mooney,
from the original by Vassiliki Rapti)
In Memory, March 22, 2014

	in situ
In transit	in fact
in situ	in truth
perennial	*in memoriam*
de facto	in reality
absent	in Latin truth
in transit	in Spanish friendship
transitions	drowse
instants	distillate
rubble	fatigue
rock me	rubble
vogue	voiced
vectors	beyond
memoirs	translocation
authoritative	in a galaxy far, far away
memorial	Prometheus'
against forgetfulness	ravenous
amnesia	beak
perish	reverses
in volley	into
molecules	loving
craze	cadence

Contributors

VASSILIKI RAPTI is the author of *Ludics in Surrealist Theatre and Beyond* (Ashgate, 2013) and two poetry collections: *A Tear in the Ocean* (2nd Prize, 1998, Parnassos Literary Society) and *Glossopaidies* (2014). Her scholarship and poetry are animated by the ludic principle. She is co-chair of the Ludics Seminar of the Harvard Mahindra Humanities Center and founder of the Advanced Training in Greek Poetry Translation and Performance Workshop at Harvard, where she is Preceptor in Modern Greek. Her poems have appeared in various literary journals, including *Αιολικά Γράμματα*, *Νέα Σκέψις*, *Journal of Creative Work*, *Eliot Review*, *Poeticanet*, *Levure Littéraire*, and *Poetix*.

STAMOS METZIDAKIS earned his PhD from Columbia University in 1982. He is Professor of French and Comparative Literature at Washington University in Saint Louis and is the author of *Repetition and Semiotics: Interpreting Prose Poems* (1986) and *Difference Unbound: The Rise of Pluralism in Literature and Criticism* (1995). A second edition of *Difference Unbound* is forthcoming from Rodopi with a new preface by Mary Ann Caws, a new author's introduction, and a new index. He has also edited and co-authored a volume of original essays, *Understanding French Poetry: Essays for a New Millennium* (1st edition 1994; 2nd edition 2001), and has served as guest editor for two issues of *L'Esprit Créateur*, one on André

Breton (1996) and a second on Prose Poetry (1999). He is currently working on two book manuscripts: *Des lignes et des lettres: Essais néo-formalistes*, and *Recollecting French America: A Postmodern Chronology*. His research interests include modern French, Francophone, and comparative literature from the late eighteenth century to the present, with particular attention to poetry, prose poetry, literary theory, and North American French history and culture. Other research interests include visual/verbal relations between painting, sculpture, film, and literature.

VRASIDAS KARALIS holds the Sir Nicholas Laurantos Chair in Modern Greek Studies at the University of Sydney. He has published extensively on Byzantine historiography, Greek political life, Greek and European cinema, the film director Sergei Eisenstein, and contemporary political philosophy. He has also worked extensively as a translator (novels by Patrick White) and the theory of the transcultural translation. He has also studied the travel writings of Bruce Chatwin and Jonathan Raban. He has edited volumes on modern European political philosophy, especially Martin Heidegger, Hannah Arendt, and Cornelius Castoriadis. His book of memoirs *Recollections of Mr. Manoly Lascaris* was published in 2007 with positive reviews. His recent publications include *A History of Greek Cinema* (Continuum/Bloomsbury, 2013) and *Greek Cinema from Cacoyannis to the Present* (Forthcoming by I.B. Tauris).

NANCY EXARHU holds a Painting Diploma from Accademia di Belle Arti in Florence, Italy and a MFA in printmaking from Washington University in St. Louis. She is a self-taught photographer.

Translators

"Poplar Tree," into English by Angelos Sakkis and Chloe Koutsoumbeli

"Si loin si proche," into English by Siarita Kouka and Vassiliki Rapti

"The chemistry of bodies and souls" and "4 Seasons," into English by Lily Exarhopoulou, Chloe Koutsoumbeli, Angelos Sakkis, and Vassiliki Rapti

"Empedocles," into English by Andreas Triantafyllou and Vassiliki Rapti

"Sunburnt," into Greek by Iossif Ventura

"De-Ontological," into Greek by Iossif Ventura, Vladimir Boskovic, and Vassiliki Rapti

"[En]thymeme," into English by Petros Georgiou

"Awakening," into English by Petros Georgiou

"Epithalamion," into English by Helen Dimos, Julia Dubnoff, Athena Papachrysostomou, James N. Stone, and Vassiliki Rapti

"Transitorium," by Stephen Mooney

Quotations from Arthur Rimbaud and Charles Baudelaire, into English by Susan Husserl-Kapit

Made in the USA
Middletown, DE
10 March 2016